KB164105

기생수

寄生獸 1

HITOSHI IWAAKI 애장판

寄生獸

기생수

1
contents

애장판

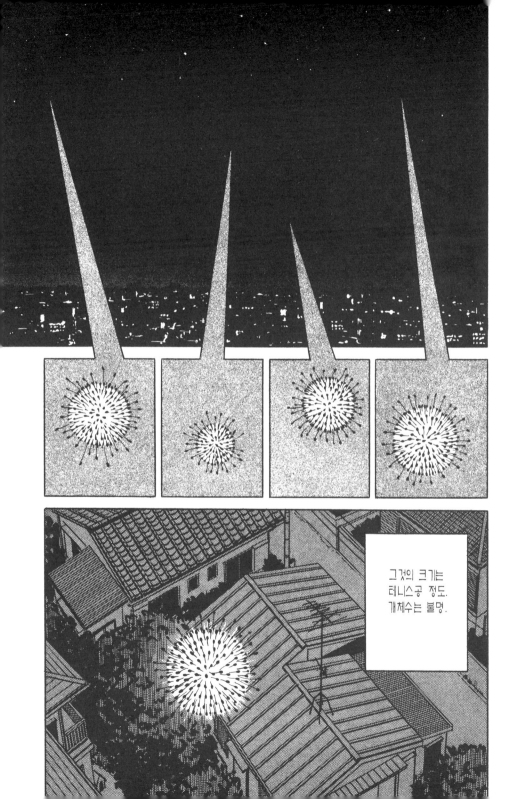

그것의 크기는
테니스공 정도.
개체수는 불명.

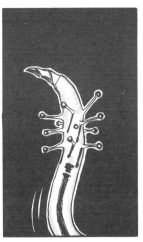

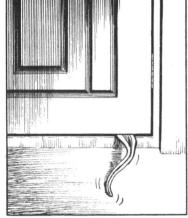

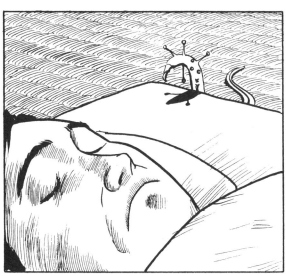
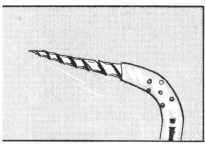
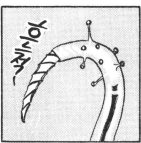
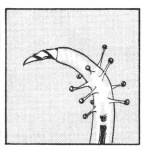

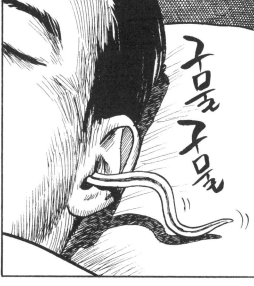

커억….

끄윽….

당신,
왜 그래요?

응…?

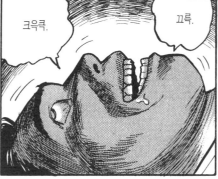

크윽큭.

끄륵.

응…?

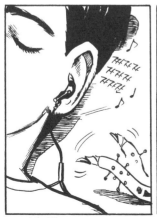

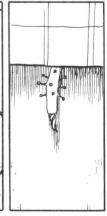

으… 음냐.

푸에취

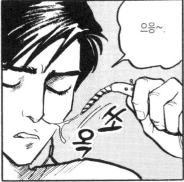

으응~.

끼아악!!

……

배, 뱀이다!
뱀이야!
어디로 들어왔지?!

에쿠쿠!

어딨어!

독사는
아니겠지?

때려
잡아야지!

응?

시끄럽게….
지금이 몇시인지
모르나?

신이치
목소리
아녜요?

기어올라
온다~!!

으으~.

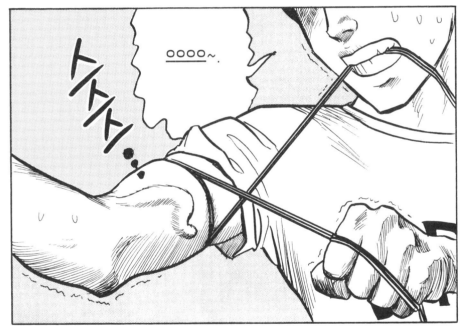

ㅇㅇㅇㅇ~.

꼬억!

으윽~!!

스어저어~!
(살려 줘~.)

스…

무슨 일이냐?
신이치!

신이치!

콰앙
콰앙

으이~.

뭘 하는 거냐?

신이치!

뭐야…?

안 돼!
풀면 안 돼!!

아니… 팔은
왜 묶고 있니?!

뱀이!
뱀이 팔에
들어왔어!

정말이라니까!
손에 구멍을 내고
파고 들었어!

또 졸고
있었구나.

아아….

어… 어라?

어디
있는고?

그럼 그
구멍은…

어허~.
뱀이 구멍을 내고
파고 들었어~?

아니야아아!

신이치, 너….
이상한 약
먹은 거 아니냐?

노이로제에 걸릴 만큼
공부하는 놈도 아니니…
병원에 데려갈 필요는 없겠지.

어…?

당신도 참.

호호호.
설마요.

하긴 아프지도 않고….

꿈이었나? 아니면 헛것을 봤나?

잠옷 잘 갈아입고 바로 누워 자야 한다.

따앙

......

응…?

아깝다….

쿨一. 쿨一.

시끄러워!!

아…까워…? 뭐가…?

실패했어…. 아깝다….

벌써 아침이야?
제대로 자지도
못했는데…

우왓!!

뻐떡

전깃줄로 그렇게
동여맸으니
당연하지.

왠지
찌릿찌릿해…

그래…,
뱀은 찾았나?

하지만
10km쯤 떨어진
이 집에서는…

내가 할 소리다.

히히―.
어젠 정말
놀랐어.

부스럭

그 가족들에게 이날은…
평소와 전혀 다름없는
아침이었다…

갔다올게요ㅡ.

다녀오겠습니다ㅡ.

얘, 도시락!

그래, 다녀와라.

당신, 아직도 옷 안 갈아 입었어요?

아참, 그렇지.

회사 늦겠어요. 애들은 다 나갔는데….

......

다음은 각 지방 뉴스를 전해 드리겠습니다.

!

왜 그래요? 빨리 아침밥 드시잖구.

여…보…오…. 아침…밥….

저…저기, 여보…?

......

왜 그래?

으… 또야.

음~. 사실은 간밤에….

아침부터… 자꾸 손이 저려.

끼릭   끼릭

손이?

잡담은 금물!

진짜라니까. 꼭 두더지처럼….

하하하. 꿈 꾼 것 아니니?

기생수 1 · 026

교사생활 11년간 닦은 다트 맛을 봐라!

온다…!

하하하…

뭑

뭐? 앞을 보라고?

붕 스 슝

우 짝

아니?

왕 악

네?

신이치! 선생님을 깔보는 거냐?!

놀려? 내가?

씨! 패고 난리야…!

네가 놀리니까 그렇지… 저 인간은 분필 던지기에 청춘을 걸었다구.

신이치, 너….

응?

……

뭐? 내가 언제 그랬어?

?!

으잉?

이 저질!

뻔뻔 스럽게!

손?

너 손 좀 봐라!

이… 이상한 건 너야!

왜 저래? 다들 오늘 이상하네.

이상해, 이거….

저, 저리 가!

으아!

어머니나아아아?

으…으잉?

으~.
손이 이상한 건지,
정신이
이상한 건지···.

도···
돌아왔다···.

어쩌면···.
어제 그 일은 꿈이
아니었을지도 몰라.

조퇴
하겠다고?

예···.
머리가 너무
아파서요···.

아까워···.
아깝다···.

아깝다···.
쇤패다···.

아!

뭐가 아깝다는 거야…?

간이 부었구나.

너 임마, 어느 학교야?

네놈이 먼저 시비 건 거 분명하지?

아니… 저… 저는…

다음 역에서 내리실까?

아니야!
오늘 손이 좀
이상해서…

뭐가 어떻다고?

아욱…

너 지갑
잃어버렸다며?

혈압?
적...?

호흡이...

...!!

쿨럭!
쿨럭!

헤헷.

......

끄응~
끄응~.

으아아!

히익!

어머, 일찍 왔구나?

...?

......
......

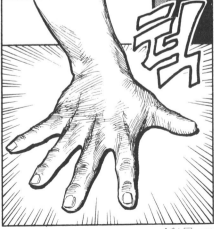

시험해
봐야지….

내 오른손…

…이
아닌가?

뭐야…
뭐지…?

오른손의 감각이
없어졌어?!

!

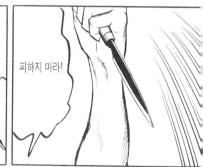

피하지 마라!

……;
……;

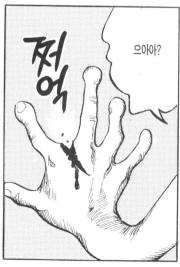

쩌억

으아아?

어?

부웅

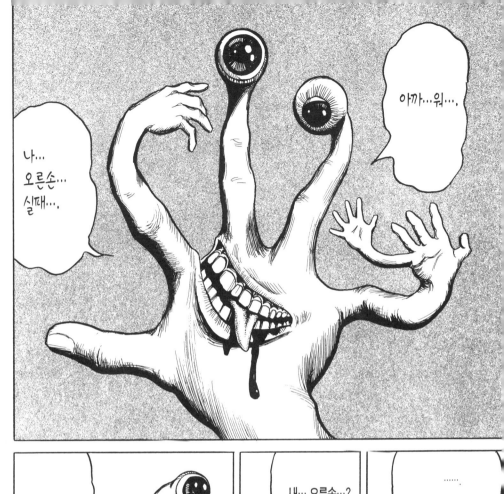

흥!

푸하하하하하
하하하하….

우하….
우하하하
하하하하….
이게 뭐야?

빠갓

훅

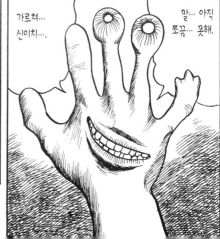

가르쳐…
신이치….

말… 아직
쪼끔… 못해.

일본 정부는 이번 OECD 이사회에 제출된 세 안건중—.

6시 뉴스입니다.

다녀 왔습니다—.

이사회에 제출된….

일본 정부는 이번 OECD…

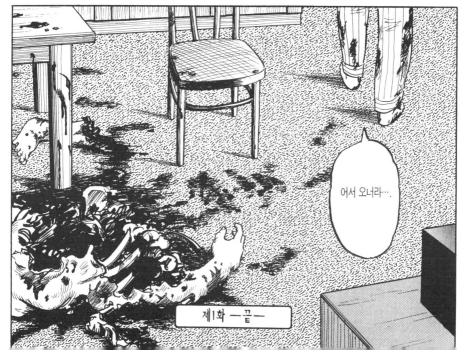

어서 오너라….

제1화 —끝—

아침이야….

…아침인가….

아침이
됐는데도―!

아침!
아침!
아침!
아침!
아침 아침
아침!!

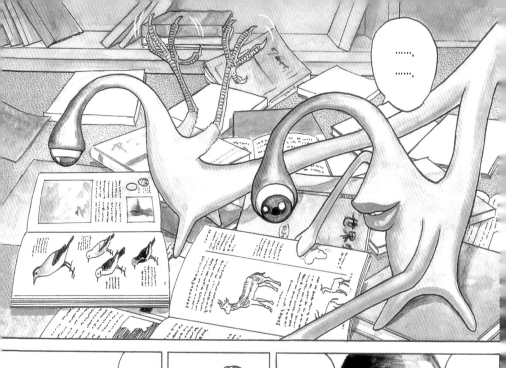

왜?

야!

아직도 읽나….

뚝 잘라버리려고 그런다!!

널 말야….

나 오늘 병원에 갈 건데….

뭐하러…?

따라서 절단되면
말라서 죽고 말아.

「나」좋아하네….

그건 곤란해….
나는 신이치의
혈액에서 양분을
섭취하며
살아가니까.

네 입으로
그랬잖아!

내 손은 네가
잡아먹었다며!

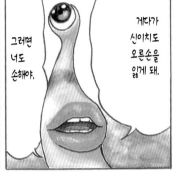

그러면
너도
손해야.

게다가
신이치도
오른손을
잃게 돼.

뭐…?!

내가 자는 동안엔
예전처럼
네 마음대로
움직이도록
회로를 이어주지.

이렇게 하자.

흠….
그건 정확한
표현이 아니었어.

타앙

난 이만 잔다...,
소중히 다뤄.

그 수밖엔
없어.

그럼 됐지...?
이제부터는 서로
도우며 살아야 해.

찰싹 찰싹 찰싹 찰싹
찰싹 찰싹 찰싹

야, 임마!

야.

찰싹

......

저걸...
나보고
다 치우라고...?

아….
감각이
돌아왔구나.

아프네?

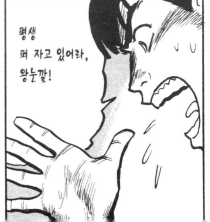

평생
퍼 자고 있어라,
왕눈깔!

웨… 웬일이니?
오늘은 유난히
많이 먹는구나…

후르륵

……

왁 왁 왁
왁

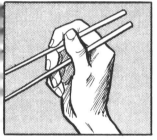

……
……

울울울울

왠지 배가
너무
고파서.

아니—.

……

정말 이상하군….
어제는 분명히
손가락 두 개로
분필을 잡았어….

……

따

아야!

휘아

어?

왜 그러세요
선생님

킥 킥

우씨…

아… 아니,
미안하다.

...상에….
...찍해라.

주부 토시에 씨(39),
장녀 쇼우코(14),
장남 미노루(10)의
시신이 발견됐습니다.

사건이
일어난 곳은
가나가와 현 ×시의
주택가로—.

×경찰서에서는
사건 직후 행방불명된
가장(45)이
범행에 관련된 것으로 보고
행방을 쫓고 있습니다.

시신은 모두 심하게
손상되었으며,
살해 방법이나 흉기 등은
전혀 알 수 없습니다.

역시 병원에
가봐야겠어….

꺄악~.
징그러워.
저리가~!

뭐, 뭐지?
이 생물은!

난리나겠지….
이런 걸 보면….

아쵸오~!

이놈이 자고 있으면
별 다른 일도 없으니….

잘라서
표본이라도 만들면
팔만 하나
버리는 거고….

헥헥헥
헥헥

사토미~.
간 떨어지는 줄
알았잖아~.

바보야.
네가 괜히
놀란 거야―.

……―

끄아아아악!!

흠—.

그래도 동아리 활동 너무 빠지면 부장한테 또 혼나.

그래… 알았어….

어제 조퇴했다며?

음…. 몸이 좀 안 좋아서….

야….

그럼 난 간다—.

호오~, …일어나셨나?

싱겁기는 ….

짬짝쓰

신이치.

사귄다고?

신이치, 너 저 암컷이랑 사귀고 싶지?

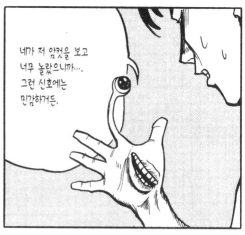

네가 저 암컷을 보고 너무 놀랐으니까..., 그런 신호에는 민감하거든.

그밖에도 네가 졸릴 때나 배고플 때, 흥분했을 때도 다 알 수 있지.

난 알 수 있어. 혈액의 미묘한 변화로....

뭔 소리냐, 이 짜샤!

배뇨를 참는 것도 몸에 해로워.

그렇게 흥분하지 마..., 그리고,

너, 임마!

너... 너...

!

신이치.

외계인?
그게 뭔데?

망할 놈의
외계인…

당연하지,
외계인이니까.

확실히
어떤 책을 봐도
나에 관한 것은
실려 있지 않았어.

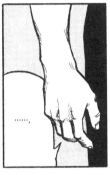

……,

너잖아, 너!
너 우주에서 왔지?
그 뱀 같은 게
네 정체지?

할 수만 있다면
벌써 했을 거야.
…하지만 안 돼.
뇌를 먹지 못한 채
성숙해 버렸으니까….
안타까운 일이지.

설마 너….
이번엔
내 뇌를 뺏을
생각이냐…?

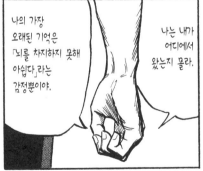

나의 가장
오래된 기억은
「뇌를 차지하지 못해
아쉽다」라는
감정뿐이야.

나는 내가
어디에서
왔는지 몰라.

욱

신이치 아냐…?
뭘 혼자 중얼거리지?

꾸엑~
징그러!

뇌까지 뺏으면
어떻게 되는데?

아마 머리가 변형하는,
인간과 유사한 생물이
됐겠지.

살금살금살금…

놀래키는 건
너무 재밌어!

또 놀래켜
줘야지.

우아아~.
닌자 같다!

아쵸오~!!

피~!
일부러 그러는
거지…?

우악!
사토마─!

어?

신이치…?

짤리기 싫으면
지금부터
입닥치고 있어!
알았지?

?

아니… 목은
좀 마르지만.

아, 배고프지
않니?

응…
아무것도
아냐.

괜찮니?

응?

!

설마…
이 왕눈깔
때문인가?!

이상하네….
요즘따라
이상하게
배가 자주
고파.

내 손 안의 생물을 알면 징그러워 하겠지….

사토미도….

하아~. 어쩌면 좋지?

우물 우물

뱀은 싫지만.

푹

사토미, 너 생물 좋아하니?

응, 좋아해.

만약… 만약 있잖아. 내 몸의 일부가….

우아아 아악!!

……

……
……

괘…
괜찮다구….

괘…

괜찮아.

아무것도
아냐!!

신이치…

응?

정액권 승강장 →

응….

入口

잘가.

너…
신이치…

맞지?

……

당연하지!

무, 무슨
소리냐?

……

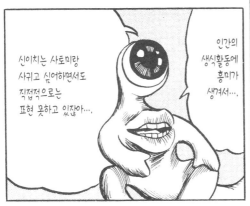

신이치는 사토미랑 사귀고 싶어하면서도 직접적으로는 표현 못하고 있잖아…,

인간의 생식활동에 흥미가 생겨서…,

말해! 대체 어쩌려고 그랬어?!

너희 인간사회를 더 이해할 필요가 있겠군.

그렇게 화낼 줄은 몰랐어.

그래!

나도 알아.

도대체 무슨 소리야!

그건 안되지, 신체를 소중히 해야 돼.

너 때문에 몸이고 마음이고 엉망이야….

…….

…….

잠시만… 잠시만 혼자 있게 해줘.

신이치?

저리 가!

미야기 현
○×시─.

아주머니?
빨래
다 젖어요─.

아무도
없나…?

꺄아아악─!

무슨 광신자
집단일지도
몰라.

끔찍해서
인간 같지도
않아요….

암만봐도
단독범은
아니야.

끄응─
또 토막살인이야!
벌써 여섯 번째군….

그치,
신이치…?

여보!
그런 말 좀
그만해요.
오늘 반찬은
햄버그라구요.

어허!
타액을 검출?
사람을
갈아먹었어?

하지만 이렇게
사람을 갈아죽일
필요가 있나?

정말 잘도 먹네…. 살찌려고 그러나?

응… 햄버그 맛있어, 엄마.

아… 그냥….

응…? 없는데…. 왜?

신이치, 요즘 무슨 고민있는 것 아니니?

여보. 쟤 요즘 좀 변하지 않았어요?

잘 먹었습니다.

……

…….
…….

아니…, 그런 말이 아니라….

저애도 언제까지나 어린애는 아니니까….

당연하지. 사람은 다 변하게 마련이오.

사실 요즘은
썩 불편하지도
않다.

아니,
늘 내 몸을
살펴 줄 정도다.

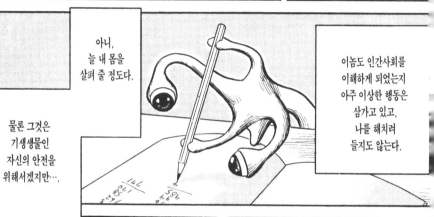

이놈도 인간사회를
이해하게 되었는지
아주 이상한 행동은
삼가고 있고,
나를 해치려
들지도 않는다.

물론 그것은
기생생물인
자신의 안전을
위해서겠지만….

너도 이름이
있어야겠지?

그래도…
어쩌면 이 놈과
계속 공생하는 것도
나쁘지 않을 것
같다….

필요없어,
나는 인간도
애완동물도 아니야.

.른쪽이ㅡ?

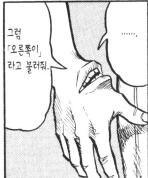

그럼
「오른쪽이」
라고 불러줘.

······.

하지만···
늘 「너」 아니면
「야」 하기도
그렇고···.

속편한
놈이군.

······.

오른손을 먹고
컸으니까
오른쪽이지.

멈춰!

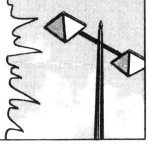

좋아,
오른쪽이!
하하하.

뭐?

왜 그래?
사람 많은 곳에서
소리를 지르고!

동족이
있어!!

뭐라고?!

어… 어떻게
알았어?

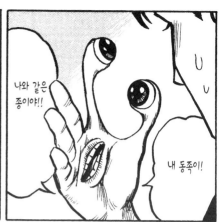

나와 같은
종이야!!

내 동족이!

직선거리로
약 200미터에!

이런 느낌은 처음이야!
하지만 알 수 있어!
내 동족이야!

느껴져…,
뇌따 같은
것이…,

……

흠… 저쪽도
눈치챘나 보군.

저 앞에서
왼쪽으로 돌아.

뇌를 먹힌
인간일 테지…?

하지만 네
동족이라면….

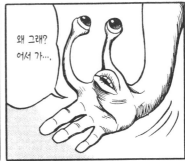

왜 그래?
어서 가….

슈우

시… 싫어!
난 안 가!

오… 오른쪽이 너!

철

벅

아… 알았어.

그건 네게도 중요한 일일 거야.

나는 내 정체를 확실히 알 필요가 있어.

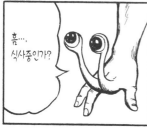

흠…. 식사중인가?

식사?

불길한 예감…

20미러 앞…, 저 모퉁이를 돌아…

너…도…
실패…했나?

크르릉….

으…
으으….

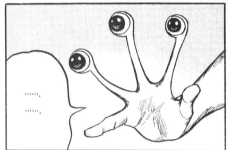

……,
……,

마, 말까지 해!

나…는
기생한 생물…에
불만…이 있다.

너…는
기생한…
장…소,

우와앗!

뛰어!
어서!

도망쳐!

뭐?!

아직도 인간인 너를 이상하리만치 경계하고 있어!

살의를 느꼈어!

똥개훈련 시키나? 가랬다가 말랬다가!

쩌억

......

헉~ 헉!

흠.... 해보겠다 이건가.

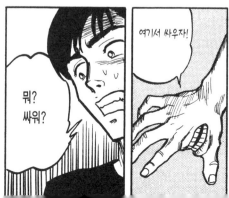

뭐? 싸워?

여기서 싸우자!

쩌억

쩌억

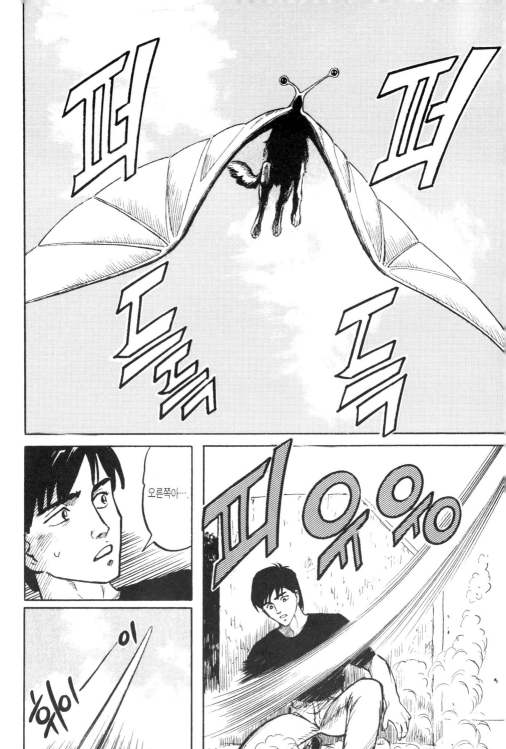

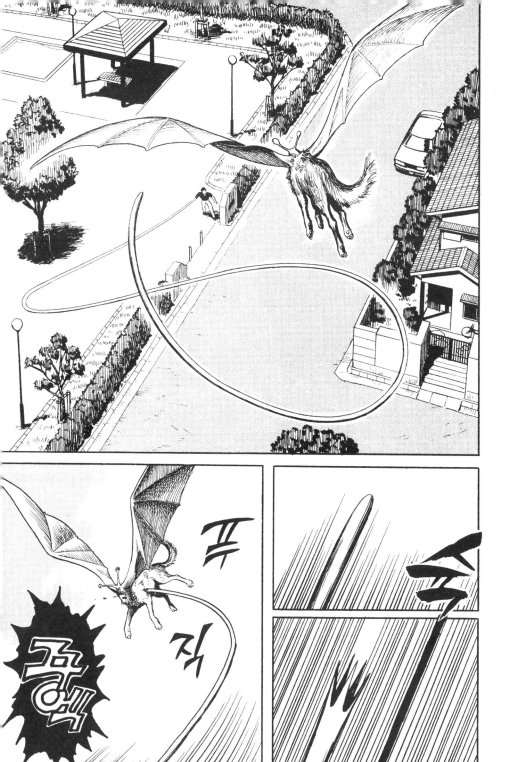

푸왁

히익~!

시… 심장?!

오른쪽아!

끄악!

끄윽….

끼….

눈깜짝할
사이에
….

봐!
죽는다.

윽!

역시 개의 심장과
소화기를 유용해
살고 있었군.

오른쪽이 너….
겨우 동족을
만났는데….

머리 부분만 본체야.
신경을 지배해
전신을 조종했었군.

본체가 날개로
변신한 탓에
주의력이 흐려져
허점을 만든 거지.

네 동족이
있었다니….

그래서 내가
이긴 거다.

개라서…
자란 환경 탓도
있게지만 학습이
부족했어.

오싹했다…
일말의 감정도 없는…,
마치 곤충과
이야기하는 것 같았다…

이놈은…

각지에서
연쇄적으로 일어나는
「인간도살」 사건이
떠올랐다….

문득…

차가워,
신이치.

제 2 화 ―끝―

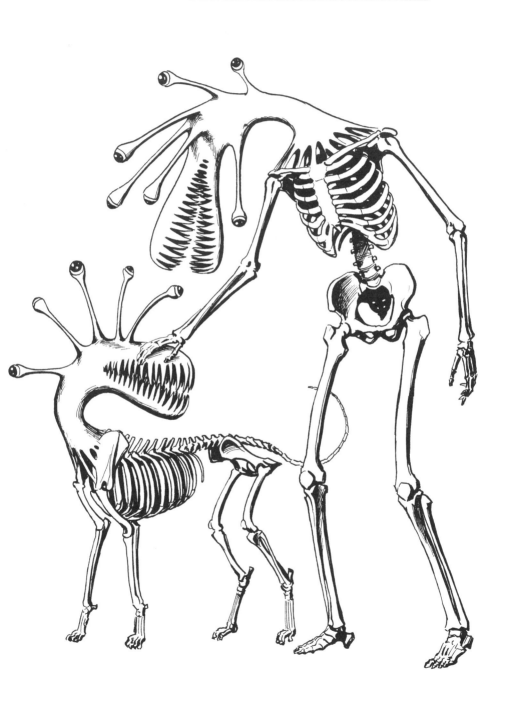

바래다 주지···.

까아악!

히히…
아까는 잘도
까불었지?

넷?

?

아무리 나라도 한 번에 넷이나 먹으면 배가 터지는데.

끈질긴 놈들….

큭….
큭큭큭….

꿔
억

글쎄~.
뭘까요~?

뭐… 뭐야?!

후후···.
그만 두 바퀴나
돌려버렸군.

아악!

아···.

아

만약을
위해···.

얼굴을 바꾸는 게
좋겠어···.

소리 한 번
듣기 괴롭군···.

그것은 특히
대도시
인구 밀집지역에
집중되고
있었는데….

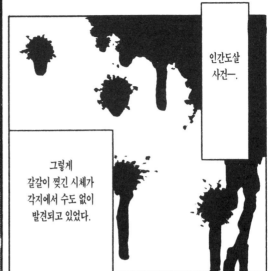

인간도살
사건—.

그렇게
갈갈이 찢긴 시체가
각지에서 수도 없이
발견되고 있었다.

「적」— 사람들은 이제
「범인」이라고는
부르지 않았다—의
정체는 아무도
몰랐다.

여기 한 사람을
제외하고….

……

동족을 잡아먹는 신종 생물인 셈이지.

개에 기생한 놈은 개만을 먹고 인간에 기생한 놈은 인간만을 먹는다.

틀림없어…, 요전의 개를 보면 확실해.

역시 네 동족들일까…?

이대로 잠자코 있어도 되나….

내가….

무슨 생각을 하지?

……

가만 둘 수 없다니?

「잠자코 있어도 되나」라니?

계속 사람을 잡아먹는 놈들을 가만 둘 수는 없잖아….

몰라서 묻나? 정체를 아는 건 우리뿐이야!

세상에 네 존재를 발표하고 연구하면….

…그러니까.

!!

그냥 두면 희생자는 점점 늘어날 거야! 그러니까….

먹고 있을 뿐이야. 생물이니 당연하지.

내 「동족」들은 그저…

신이치의 논리는 이해가 안 돼.

무슨 소리야?

나는 남의 목숨이 소중하다고 생각한 적은 없어.

모를 소리군…. 존엄한 것은 자기 목숨뿐이야.

당연하지! 인명은 존엄한 거야!

신이치는 동족이 먹히는 게 그렇게도 싫은가?

그건 나를 비하하는 표현인가?

당연하지! 너는 짐승이니까!

내가 없으면 살 수도 없는 기생충이?

헤~. 그래서?

신이치..., 만약 네가 내 몸에 해를 가하려든다면 나는 전력을 다해 막는다.

네 목숨은 보존한다..., 하지만 말을 못하게 하는 것쯤은 간단해.

뭐...

아니면 시력이나 청력을 뺏을 수도 있지....

!!

악마!

좀 쉬는 게 좋겠어.

호..., 엄청난 공포감이군.

인간은 거의 모든 종류의
생물을 잡아먹지만,
내「동족」들이 먹는 것은
고작 한두 종류야….
훨씬 간소하지.

신이치…,「악마」라는 것을
책에서 찾아 봤는데…,
그것에 가장 가까운 생물은
역시 인간으로 판단된다….

나가니?
신이치.

그따위 궤변은
집어치워.

나만이
범인의 정체를
알고 있다…

사람들이
죽어간다….

…….

진학? 취업?
아, 몇 학년이지?

진로는
정했나?

고등학생
인가?
마침
잘 됐군.

이봐요,
학생?

그럼 버려.

제장ㅡ.
이 햄버그
되게 맛없네ㅡ.

인간의 행복은
뭐에 있을까?

그럼 다음은
삶에 대한
질문인데.

x

......

뭐?

인간은 고기야.

흥···.
소나 돼지는 태연히
먹어치우는 인간들이
뭘 놀라고 있나···.

의 악마

또다시
발견!!
41명으로
희생자는
늘어나
···

토막시체

......

어이,
학생?

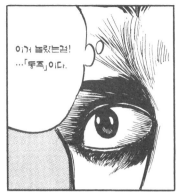

이거 놀랐는걸!
…「동족」이다.

응?

아?

내 「동족」이
다가온다.

이봐,
신이치!

신이치…,

사람이 많아서
분간이 어렵지만
틀림없어!

뭐…?

왼쪽의
인파 속에!

피해!
너의 존재가 알려지면
싸움이 일어난다!

DELUSION
WANDER ABOUT

뭐라고?!

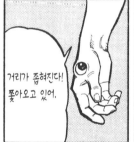

거리가 좁혀진다!
쫓아오고 있어.

더 빨리!

그래…, 이 전철에 타고 있어.

오른쪽아…, 혹시….

웃을 일이 아니야.

킥킥…. 인육동호회 놈이라도 있나?

……

두 칸쯤 뒤에.

어딜 가는 거야, 신이치?

만날 거야! 살인자의 낯짝을 봐야겠어.

바보 같은 소리 하지 마! 죽는다!

바로 뒤에 있어. 거리는 약 40미터.

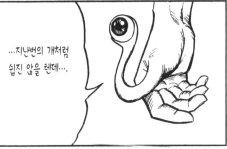

...지난번의 개처럼 쉽진 않을 텐데....

그럼 네가 지켜 줘.

인간의 마음은 이해가 안 돼.

지금 너는 공포심이 마비되어 있다. 왜지?

여기라면 눈에 띄지 않겠지.

저벅

저벅

같은 인간이
수없이 죽었어….
적의 정체를
알고 있는데….

두 손 놓고
보고만 있으라고?

!!

......

인간을 위해!

싸울 거야!

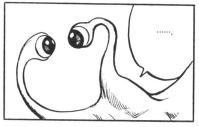

하지만…
그러려면 네 힘이
필요해….
날 도와줘!

!!

5미터 앞.

부탁이야,
오른쪽아!

DELUSIO
WANDER A

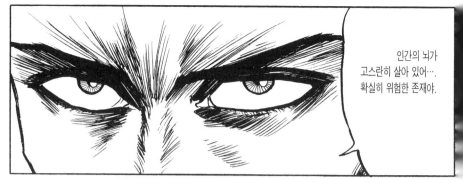

인간의 뇌가
고스란히 살아 있어….
확실히 위험한 존재야.

저벅

괴… 괴물!

뭐야?

기다려….
오른손이 하는 말은
잘 알겠다.

움직이지 마!
이 인간을 공격하면
너를 죽인다!

DELUSION

옮겨?
이제 이동은
불가능할 텐데...,

하지만 오른손,
너는 이쪽으로
옮겨오면 돼.

?

뢰
릭..

하지만
「팔」에서
「팔」로의
이동은
간단해...

물론 단순한
「팔」에서
복잡한
「머리」로의
이동은 불가능하지.

학습이
부족하군...

쓰
아

악

!!

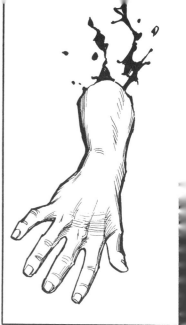

팔팔

우아아아아!!

하하하! 어때?
자리가 생겼지?
이제 믿겠나?!

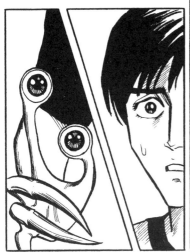

자!
이리 와서
내 오른팔이 돼라!
두 개체가 기생하면
더 강해질 테니!

혈액이 더
손실되기 전에!

왜 그래?!
어서 그 인간을
죽이고 이리 와!

후후…
내가 관리하는 이 육체라면
140년은 살 거야….

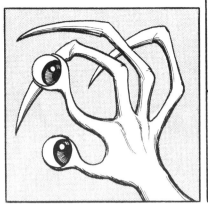

오…
오른쪽아…

하지만
그 인간을 죽여버리면
할 수 없겠지?

우유부단한
놈!

어이,
잠깐만…

휘잉

DELUSION
ABOUT

내⋯ 몰⋯.

내⋯ 내 육체.
내⋯.

⋯⋯.

나를⋯
살려 준 거야?

오른쪽아,
너⋯.

띠곤해서
자야겠어.

⋯육체간 이동에
확신이 없었다.
나는 내 목숨을
보호하려 했을 뿐이야.

미⋯ 미안해.
설마 이런
놈일줄은⋯.

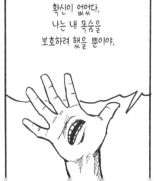

내… 내 육채….
내… 몸….

……

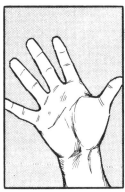

어이,
오른쪽아….

아니, 그냥….
별 일은
아니야.

시간 있어?

요즘 도살 사건 때문에 시끄럽잖아.

나간다니까 집에서 하도 뭐라고 해서…

아, 미안. 그거 미트소스였지?

처참하게 사람을 갈아 죽이다니….

기다렸어?

그러다 살찐다. 돼지 되면 어쩔래?

괜찮아, 괜찮아.

하지만 식욕은 왕성해.

그래…?

왠지 우울해 보여.

너…. 요즘 이상해….

…….

우리 모래 장난하자―.

아, 놀이터다.

가… 가자!
나 저런 거
보기 싫어!

저 녀석들이….

너무해….

그래.

뭐야?
저거….

뭐어?

너희들,
이딴
장난하지
마.

야옹~~

신이치…

야옹

냐옹～

모두 살아
있다구!!
너희들처럼!!

생물은
장난감이
아니야!

……

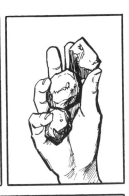

......,
......,

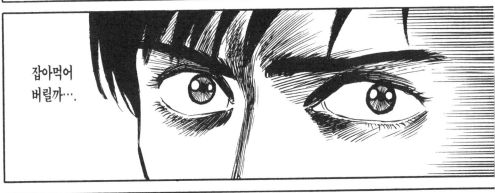

잡아먹어
버릴까···.

「신이치.」
「응?」
「너… 신이치… 맞지?」
「그럼 …물론이지.」

제3화 —끝—

—제4화— 살 기

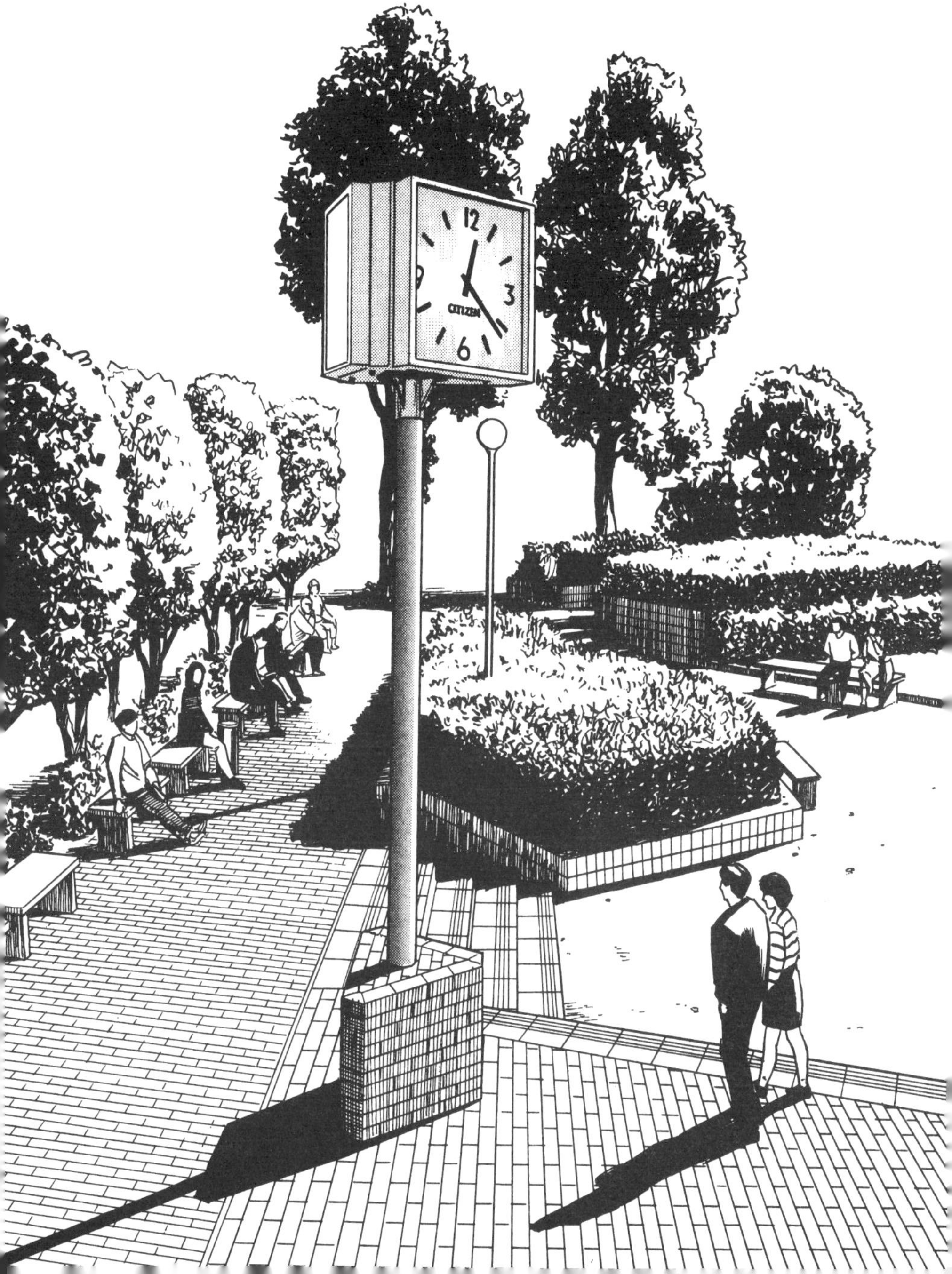

그날….
광장에 있던 사람들은
갑자기 나타난
첫번째 생물에 놀란 나머지,
두번째 생물의 존재는
알아차리지 못했다….

까악~!!

우아아아!!

태어나면서부터
인간에게 사육된 그는
인간을 무서워하지
않는다.

이 사자는
야성을 갖고 있지
않았다.

이쪽
으로!

배가 고프지도 않으면서
재미로 사람을 죽였다.

" 내 이빨과
발톱은
이러려고
있는 거야."

"그래!"

경찰은
뭐해!!
경찰!

"인간이란 정말
약해빠진 족속이군."

"내가 이런
생물에게
지배당했다니."

처음 보는
넓은 세계를
자기 발로
누릴 뿐….

그는
아무것도
몰랐다.

이제 곧 경관이나
사냥꾼이 달려와
그를 벌집으로
만들 테지만,

으흑!

그는
무적이었다.

몇 시간 전에
우리를 부수고 나와
여기까지 약 2km.

"강하다….
나는 강하다!"

난생 처음
사냥을 했다.

쿵

어떻게
된 일이지…?

…인간에게
사육되던 것이
도망쳐 나왔나?

사자가 이런 곳에
서식할 리 없는데….

쿨룽

"뭐야?
왜 이놈은 나를
겁내지 않지…?"

야, 야!
저 남자 미쳤나봐!

ユ르릉 …

"저 사냥감들과
같은 냄새….
그러나 다른
생물이다…."

"아냐! 이건
다른 생물이다."

"나보다
강한…?!"

강한 공포심….
포유류는 모두
겁쟁이로군.

주춤

겨우 눈을 뜬
「야성의 직감」을
믿을 수 없었다.

이 사자는
사람의 손에서만
자랐다.

"정체는 모르지만
저놈은 무기가 없다!
나같은 이빨이나
발톱이 없다!"

크앙

대체 무슨 일이
일어났는지….

많은 목격자가 있었지만
진실을 정확히
이해한 사람은 없었다….

사자의 피를
뒤집어쓴 남자는
총총히
사라지고….

으아….

우와앗

그 자리에 있던
사람들은
최종적으로
결론을 내렸다.

「그 남자가
무슨 폭발물을
사자에게
던진 거다…」라고….

설마….
잘못 본 거야.

저 남자
머리가….

AGARE

쾅   쾅   쾅

당당당

들어가라!

들어갔다!
나 끝내 주지?

갸야—

쳇.

잘했어,
신이치—!

우히히!

야호—!

저게 왜 저래…?

아야!

시간이 없다!

이판사판이다!

앞으로 5초!

우와~!
굉장하다~!!

거짓말 같아!!

삑

두캉

젠장!
신이치
녀석…

끝내 줬어!

……

하하하~!
우연이야.

우연일까…?

신이치…

야, 오른쪽아!
너 깨어있지?

이건….

우연이
아니군.

알았어,
난 잔다.

그래.
자라, 자.

네가 보기엔
쓸데없는 짓
같겠지만.

…쓸데없는 짓
하지 말래두.
이건 놀이야…

목적없는 놀이.

아아,
있었나,
너…?

!!

신이치!

아ㅡ.
나도 졸려.

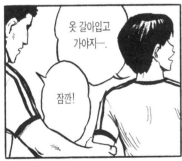

옷 갈아입고
가야지ㅡ.

잠깐!

여자 꼬시는
연습하나?

뭘 혼자
중얼거리고
있어?

어허….
그러서?

내가 걔 전부터
찍어 놓은 거 알지…?

3반의
사토미….

쿠우ᄉ─ᇰ

나하고
결투하자!!

너를 위해
물러나라
이거냐?

그래서
뭘 어쩌라구!

ㅍ!

악

하하하!
관둬라,
관둬.

뭐어…?

너…
정말 주먹으로
싸우자고?!

아야―.
진짜로
때렸어?

우엑!

빠
악

이, 이런 건
여자쪽 의견도
들어….

으샤!

붕

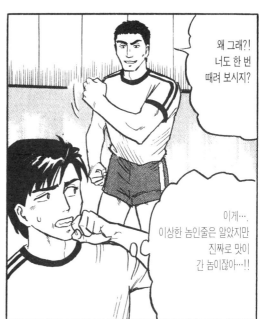

왜 그래?!
너도 한 번
때려 보시지?

이게…
이상한 놈인줄은 알았지만
진짜로 맛이
간 놈이잖아…!!

안 돼!
겨우 잠들었는데….
이러다간
오른쪽이 깨겠어!

퓍

철썩

어이…
말로 하자,
말로…

나 같은 건
한손으로
충분하다는
거냐?

뭐냐?

콜록!
켁! 켁!

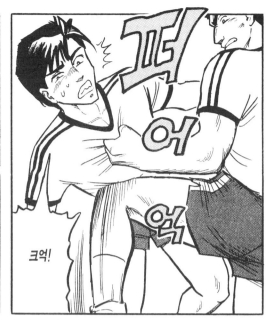

피
어
억

크억!

위험하다!

이 겁쟁이
새끼가!

!!

그만 둬!!

살살 좀 해,
이 바보야!

으...
'빠각' 소리가
났다.

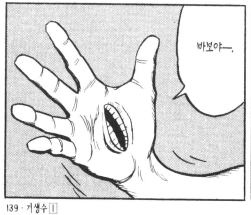

바보야─.

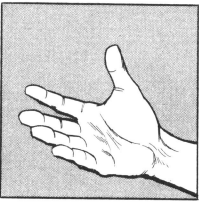

'바보'라는 말은 자기보다 어리석은 상대에게 쓰는 거야.

잘났다!

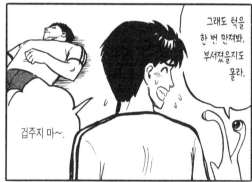

그래도 턱을 한 번 만져봐. 부서졌을지도 몰라.

겁주지 마~.

그렇게 세게 치지 않았어.

설마… 죽인 건 아니지…?

헉, 신이치…!

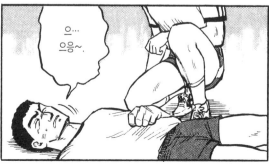

으… 으응~.

으아아아!

뭐야?
멀쩡하네.

왜 저렇게
겁을 내지…?

아, 알았어.
내가 졌다구!

야….

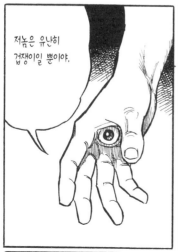

저놈은 유난히
겁쟁이일 뿐이야.

그렇지 않아.

너 혹시 저놈한테
눈깔 보인 거 아냐?!

제4화 ―끝―

작가가 대답했다

기생수 1

「호러나 잔혹물은 굉장히 싫어했지만 이 〈기생수〉만은 신기하게 끌렸다.
인구 증가가 지속되는 지구에는 언젠가 정말 이런 일이 일어날지도 모른다. 무섭기만 한 게 아니라
생각을 하며 읽게 하고, 유머도 있는 이 작품에서 눈을 뗄 수가 없다.」
(카나가와 현 쿠로다 히사시. 30세. 회사원)

「〈기생수〉 너무 재밌다! 개가 박쥐처럼 변해 하늘을 나는 장면에선 진짜 놀랐다.
신이치와 오른쪽이의 기묘한 연대감도 좋다. 이와아키 선생님의 아이디어에 탄복했다.」
(도쿄. 시오츠루 마이와. 26세. 회사원)

「인간 외의 동식물, 즉 사람들이 존엄하게 여기지 않는 생명들이 강대한 힘을 가지면 어떻게 될까?
하는 데에서 이 이야기를 그리기 시작했습니다. 앞으로도 지켜봐 주세요」
(이와아키 히토시)

모닝 OPEN 증간 '89년 10월 3일 발매호에서

「인간은 이대로 지구를 파먹어 들어가는 걸까?
그렇다면 기생생물의 존재를 '악'으로 여기는 것은 인간의 이기심일까?」
(사이타마 현 다치 치치 22세 학생)

「'약간의 아픔' 조차 느끼지 못하는 인류의 미래는…?」
(이바라키 현 나카이 유스케 26세 학생)

「많은 사람들이 인류의 미래를 생각하는 것은 좋은 일입니다.
다만 한 개인이 인류의 행복을 걱정해 봤자 뭘 할 수 있는 건 아닙니다.
기껏해야 가족이나 이웃의 행복, 자기와 관계있는 사람이나 동물을 아껴주는 정도죠.
하지만 저는 그것으로 충분하다고 봅니다. 인류를 구하는 것은 통계가 아니라 한 사람,
한 사람의 너그러운 마음이라고 생각하니까요.
(이와아키 히토시)

애프터눈 '91년 7월호에서

제5화

공부벌레

다녀왔습니다.

어서 오너라…. 어머, 또 도서관에 갔었니?

이젠 독서광이 다 됐구나.

헤헤….

후—.

내가 읽는 건 아니지만.

그나저나..
너 정말
공부벌레구나..

그래!
이런 식으로
수험공부나 해줘라.
그럼 대학입시도
문제 없겠어!

이렇다니까....

그건 일종의 암호풀이다.
내가 원하는 것은
살아가는데 필요한
지식이야.

수험공부?

....

그래… 이놈들은 학습을 통해 점점 발달한다…

어쩌다 이렇게 됐는지―.

정말 싫다. 이젠 내 머리보다 오른손이 더 똑똑해졌어.

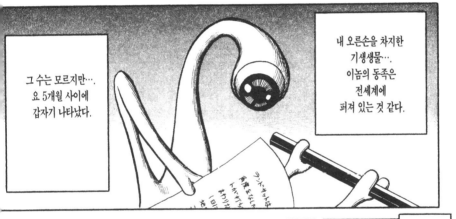

그 수는 모르지만…. 요 5개월 사이에 갑자기 나타났다.

내 오른손을 차지한 기생생물…. 이놈의 동족은 전세계에 퍼져 있는 것 같다.

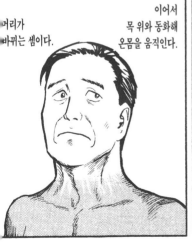

머리가 바뀌는 셈이다.

이어서 목 위와 동화해 온몸을 움직인다.

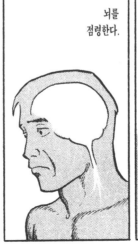

뇌를 점령한다.

처음에는 이런 생물이 인체내에 침입해,

어떤 생물인가 하면―.

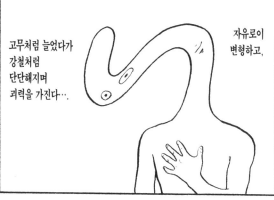

고무처럼 늘었다가 강철처럼 단단해지며 괴력을 가진다….

자유로이 변형하고,

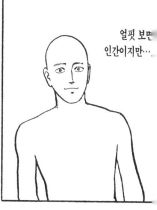

얼핏 보면 인간이지만…

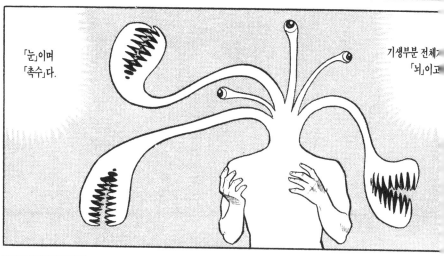

「눈」이며 「촉수」다.

기생부분 전체가 「뇌」이고

왜 인간을 먹을까?

하지만… 이해할 수 없는 건 놈들의 식성이다.

아무리 잘났어도 기생생물인 이상 숙주에서 떨어지면 이내 죽는다.

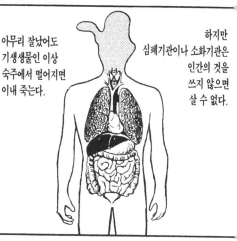

하지만 심폐기관이나 소화기관은 인간의 것을 쓰지 않으면 살 수 없다.

놈들에게 희생된
인간의 시체는
모두 산산조각나 있어
세간에서는 정체도 모른채
「인간 도살 사건」이라고만
부르고 있다.

이건
동족상잔이
아닌가.

그래?

글쎄...
나는 네 혈액에서
직접 양분을
얻으니까
식욕이라는 걸
잘 몰라.

오른쪽아.
네 동족들은
왜 서로를
잡아먹는 거야?

전에 한 번
물어봤다.

맛있어,
그거...?

우물
아물

......,

따라서 이름은
「오른쪽이」.

이놈은 실수로
내 뇌를 뺏지못하고
오른손에 눌러 앉았지만,
그래도 내 내장에
의지할 수 밖에 없기 때문에
현재 기이한 공생관계를
유지하고 있다.

예잇.

밥먹어~
밥먹었쟈~

참 나…

헤!
으득
우걱우걱

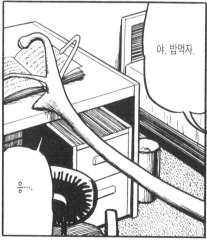

야, 밥먹자.

응….

오른쪽이 잠들면 내 손은 평범한 「오른손」이 된다.

만약 그때 오른쪽이에게 뇌를 뺏겼다면 이 두 분이 첫 희생물이 됐겠지…

내 부모님…

기생생물에게 먹힌 인간의 시체 (먹다 남긴 찌꺼기)가 온 세계를 떠들썩하게 만들고 있었다.

저녁 뉴스는 또 「인간 도살」 사건이었다.

요 5개월간 국내에서만 84명… 믿을 수 없어.

84명째라.

이젠 놀랍지도 않아요.

바퀴악!
바퀴악!

바, 바퀴!

왜 그래?

꺄악—!

바퀴벌레는
날이 쌀쌀해져도
팔팔하네—.

파리채.
파리채.

!!

꾹

휘청

휘이익

아….
아….

다녀 올게요.

음.

덥썩

흠─.
그래서?

신이치가 바퀴벌레를 손으로 잡았어요!

무슨 일이오?

여보!

이 요조숙녀 기질은 평생 못 버릴 거야….

그렇게 울 일도 아닌데….

으흐흑….

전에는 저런 애가 아니었는데….

그러는 너도
요즘 아주….

아, 그,
그래?

많이 밝아졌어.

응?
뭔데?

보행자전용→

머리에 피도
안 마른 것들이
아침부터
웃기고 있네ㅡ.

응? 뭐?

아….
아냐….

어?

신이치.

분명히 방금 목소리가….

?

어라?

여기야.

아… 아무것도 아냐.

잠자코 듣기만 해.

오른쪽이 너… 어쩐지 근질거린다 했어!

왜 그래?

또야...?

점점 가까워진다.

「동족」이 있어.

뭐?!

기생생물이 반경 300m 안에 들어오면 뇌파 같은 것을 느낀다고 한다.

기생생물의 또 한가지 특징... 그것은 「동족」의 존재를 파악하는 힘이다.

설마....

상대와의 거리는 약 60미터. 이 건물 안에 있어.

하지만 오른쪽아, 이 근처에서는 도살 사건이 없었는데?

시체가 발견되지 않은 건지도 모르지.

학교…?!

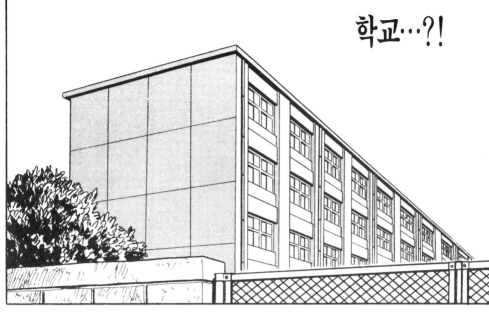

어머! 종치겠다—!

사토미! 기, 기다려!

그럼 또 봐!

왜 그래? 신이치!

어디냐?

어느 놈이지?!

여자?

남자?

초조해 하지 마.
이렇게 밀집해 있으니
상대도 우리를
찾지 못할 거야.
게다가….

000

제길!

약 30미터.
이 건물 안에
있어.

오른쪽에
거리는

이렇게 많은 사람들 앞에서
싸움을 걸만큼 바보도
아닐 테고….

줄 밖이군….
학생은 아니라는
얘기가?

그렇다면
선생?

비스듬히
왼쪽 앞으로
약 25미터.

흥분하지 마!
들킨다.

상대도 지금
우리를 찾고 있어.
하지만 사람이 너무 많아
찾아내지 못하는 거야.

신임교사라….

수학 수업을
맡아 주실
새 선생님을
소개합니다.

음….
어제 교통사고로
입원하신
마츠야마 선생님
대신,

저 놈이다!

타미야
료코입니다.
잘 부탁해요.

뭐?!

그럼 선생님….

사토미네
반이잖아!

1학년
3반….

부담임에는
타미야 선생님이….

그럼 1학년 3반
담임에는
야마모토 선생님.

보지 마!
신이치!

들켰다….

미인인데?

야…
이쪽을 본다?

제5화 ─끝

─제6화─ **타미야 료코**

뒤쪽에 회색 양복 입은 남자!

이봐요.

치한인가?

뭐야?

남의 몸을 함부로 더듬지 말아요.

치한
이었어—?!

얘… 나 저 사람
매일 보는데—!

제길,
어떻게 알았지?
보일 리가
없는데…

아, 아닙니다!

용서해 줄 테니
조용히 해요.

시끄러워요.

취, 취소해
어서!

무슨 소리!
잘못 본 거야!

내가 그러는 거
봤냐고~?

다… 당신,
제대로
본 거야?

적반하장이구먼.

당신이
취소할 때까지
떠들 거야!
알아?!

시끄럽다니까…

성가시게
...

아....
아....

우억?!

끄어억~!

세상에...

승객 여러분은
안전선 뒤로
한걸음 ㅡ.

우아아아!

한 손으로 던졌어.

봤니?

굉장해~.

이제 됐다….

......

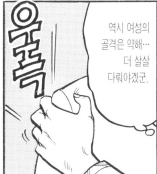

역시 여성의 골격은 약해… 더 살살 다뤄야겠군.

탈골됐군….

그녀는 살아있는 인간으로서 호적상에 존재한다….

타미야 료코. 24세 독신, 고등학교 교사.

안녕

아~아.
어떻게 이런
일이….

그럼 응용문제
⑥에서 ⑫까지를
풀어 보세요.

웃기지도
않아….

괴물한테
수학을 배우다니.

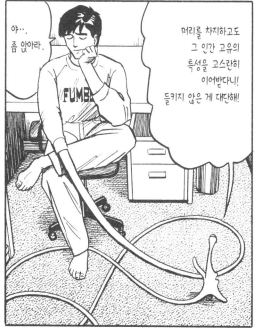

야….
좀 앉아라.

머리를 차지하고도
그 인간 고유의
특성을 고스란히
이어받다니!
들키지 않은 게 대단해!

오른쪽이 놈은
잘도 자네….

놀라워!
그런 놈이
있다니….

무슨 수를
내다니?

무슨 수를
내야지…

적을 칭찬해서
어쩌자는 거냐?

게다가 교사로서
인간을 가르치다니
대단한 재능이야~!

그러니 사회생활에서
직접 관련된 인간을
식량으로 삼진 않겠지…,
즉, 그놈 주위의 인간은
안전하단 얘기야.

그렇지 않아.
그놈은 인간사회에
융화하고 싶어 해.

멍청아—!
맨날 학교에 오잖아!
다 잡아먹으면 어떡해!

한동안 지켜보자구…,
이제 곧 그쪽에서
접촉을 시도할 것
같아.

알게
뭐냐…?

접촉하자는
건가?!

척

왔다!

신이치.

저, 저기….
그러니까….

다음 문제를
풀어 봐요.

왜 그러지

경례!

제기랄!
사람을
갖고 노는군!

신이치.

이번엔
진짜다!

교무실로
따라와요.

예…?

이게….

저 선생은 신이치 같은 놈이 좋은가 봐?

나도 저런 미인한테 불려가 봤음 좋~겠네.

뭐?

야, 신이치! 너 좋겠다~.

남의 속도 모르고!

…?

속편한 소리 작작해!

나도 보면 알아!

상대와의 거리는 약 6미터.

오른쪽아, 자냐?

아니.

내 정체는…
알고 있지?

신이치…

…그래.

……

선생님한테
「그래」가 뭐야?

뭣보다 이 거리에서
공격했다간
둘 다 치명상을
입을 테니까.

긴장할 거 없어
내가 ㄴ
해치지 않는다는 ㄷ
네 오른손이 알 거야

x

177 · 기생수 1

나, 나는 싫어!

왜 그래? 함정이면 어쩌려고?

여러 가지로 할말이 많은데, 학교에서는 곤란하니 방과후에 「헤럴드」라는 커피숍에서 만나자.

알았어.

죽일 생각이면 벌써 죽였지.

뭐라고?

...인간의 사고는 왜 이렇게 비합리적일까?

......

서로의 정보를 교환하고 앞으로에 대해 의논하고 싶어.

나는 흥미가 있을 뿐이야... 너 같은 예는 처음 봐. 데이터가 필요하다는 거지.

그럼 그렇게 알도록.

벌떡

아뇨,
진로 상담이
있어서…

타미야 선생님,
오늘 시간 있어요?

……

왔다!

뭐…
뭐라고?!

두 마리라고
해 줄까?

두 사람
이야.

…뭐?

소매를
걷어 줘,
신이치.

왜?
싸우는 게
아니라며.

어서오세요.

역시 함정이었구나!

아직은 불확실해.

두근

두근

두근

두근

두근

…하지만 이름이 없으니 「A」라고 해 둘까?

소개할게.

신이치…, 심장 고동을 좀 늦춰. 나까지 불안해진다.

그런 거 못해!

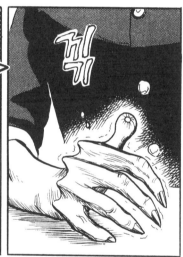

......

여기서 싸워 봐야 아무 득도 없어!

아까 설명했지?

그만둬!

말하는 내용이 이상하다구요….

뭐가?

사장님— 저 사람들 좀 이상해요….

그래… 네가 지금까지 만난 건 그 두 종류뿐이라고…?

그래도….

세상에는 별 사람이 다 있는 법이야….

네가 보기에 우리는 대체 뭐 같아?

그런데 신이치.

나와 A는….

사람을 잡아먹는 괴물이지 또 뭐겠어?

뭐, 뭐라니….

죄, 죄송 합니다!

와 장 창

같이 자 봤어.

그럼 여기서 문제.

그 결과, 나는 현재 임신중이지.

!!

대체 뭘까?

내 뱃속에서
자라고 있는 것…
…그것은….

「인간」이겠지,
평범한 인간….

그… 그야….

그렇다면 우리는
대체 뭘까?

그래!
흠잡을 데 없는
진짜 인간이야.

…역시 동족은
다르군.

나도 의문으로
여기고 있어.

번식능력도 없이
동족상잔만을 거듭하는…
이런 생물이 있을까?

지구 생물은
아닐 거야…

내 정체를 알아 봐야
달라질 건 없어.

그런 건
관심없다.

난 가겠어.

……

방해자는
제거한다…

배고프면
먹고,

성장 환경이 달라서 저런가?

안녕히 가세요….

덜ㅡ컥

그런데 신이치?

콰ㅇ

얼굴을 바꿀 수 없는 네가 훨씬 불리해져.

나를 적으로 돌릴 경우….

인간은 가끔 이해 못할 행동을 하니 충고해 두겠는데….

탁 탁

나도 가급적 「인간」으로서의 신분을 지키고는 싶지만.

우리반에 네 친구가 하나 있지?

뭐?!

3초만에 몰살시킬 수 있어…

한 학급 정도는…

마음만 먹으면,

대단한 놈이야. 신이치를 이렇게까지 공포에 떨게 하다니….

앗! 차가워. 왜 그래, 신이치?

어이, 아가씨.

아침마다 그 전철을 타야 한다구.

난 말야….

내 얼굴 기억하지…?

그런데… 어쩔 거야?

……

대답해, 이년아!

복면 쓰고 출근하라 이거야? 앙?

내일부터 어쩌라고?

소심한가 하면 대담하고, 인간의 행동이란 가끔…

컥!

지금은
식욕이 없어서…

바로
신이치와 「A」를
만나게 한 것이다…

기생생물들은 아직
발생초기단계에 있다…
뛰어난 지능을 가진
「타미야」 역시
경험부족으로 인해
한가지 실수를 범했다.

제6화 ─끝─

쳐들어왔어, 살의로 똘똘 뭉친 놈이!

?!

엄청난 일이 벌어졌어.

뭔데?

선생님…?

뚝

네…?

병신!

학부모 되십니까…?
지금은 수업중인데요….

잠깐만!
이봐요!

까아아아아악!

잠깐
자습하세요.

......

쳐들어 왔다는 게...
우리를 죽이러
온 거냐?

저기....
야....

「A」가?

그렇겠지.
아마 지난번
그놈일 거야.

끌어
냅시다!

조심하세요.

세상에 다짜고짜
때리다니!

으윽…

우 굴글

거기 서!!

부웅

어차.

비켜.

학생들에게
해를 끼치면
가만 안둬!

당신 뭐야?!

힉!

인간의 팔은
약해서
못 쓰겠군.

벌써
부러졌나?

으아아악!

끄어어억!

까아악~!

우아아아
아악!

잘은
모르겠지만....

막가는
놈이군.

지금 「장애물」
셋을 물리쳤다.

사람을 죽였어?

선 학생들을
대피시켜야지
…!!

아나….

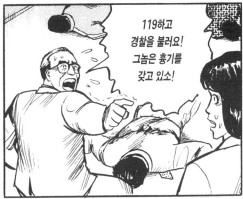

119하고
경찰을 불러요!
그놈은 흉기를
갖고 있소!

각반끼리 뭉쳐
운동장으로 대피하십시오.
대피할 때는 반드시
C동쪽 계단을 이용하고,
절대 A동으로
다가가선 안됩니다ー.

기, 긴급사태입니다.
현재 교내에
과… 외부인이 침입했습니다!
B동에서 수업중인 학생들은
선생님의 지시에 따라,

대피?

왜 그러지?

그게 뭔데?

외부인이래.

다들
조용히 해!

그래도
재밌겠다.

좀 겁나네.

맞아, 타미야는 어디 갔지?

얼굴만 바꾸면 만사 해결이라 이거지…. 타미야와는 딴판이야.

낙천적이고 무모한 놈이야.

벌건 대낮에 당당히 나타나….

달아나? 왜?

그럼…. 어떻게 달아난다?

150미터 떨어진 곳에 있어 사태를 관망하려는 거겠지.

쳇! 적이 되는 것보다는 나은 셈인가.

좋아, 5반 차례대로 나가라!

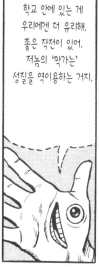

학교 안에 있는 게 우리에겐 더 유리해. 좋은 작전이 있어. 저놈의 '막가는' 성질을 역이용하는 거지.

대낮에 당당히 쳐들어오는 놈이야. 달아나 봤자 끈질기게 따라붙을걸. 차라리 지금 처치하는 게 나아.

왜라니….

……

아…
아냐…

신이치,
너 뭘 그렇게
중얼거리냐?

아무튼
저 무리들
가운데 서,

「작전」이라니?

문제의
외부인이!

어이,
저거 아냐?

속편한
소리하네.

흥분된다,
야.

가끔 이런 것도
재미있는데?

뭐…?!

어디,
어디?

「A」다!!

뭐야,
저 아저씨
하나야?

나와 A는 파장으로 서로의 위치를 알 수 있어.

야, 오른쪽아! 이 많은 사람들 속에서 싸울 거야?

그 녀석이 먼저 공격할 거야.

그거 참 편리하군.

맞았어.... 하지만 A는 닥치는대로 공격할 거야.

아하... 그래서 우리가 유리하다 이거군. 저쪽은 금방 눈에 띄지만 나는 얼굴만 가리면 모를 테니.

하지만 한쪽이 군중 속에 섞이면 다른 한쪽은 분간하기 어렵게 돼.

A가 닥치는대로 인간들을 베는 동안 나는 일격에 그놈의 심장을 노린다. 단순한 작전이지.

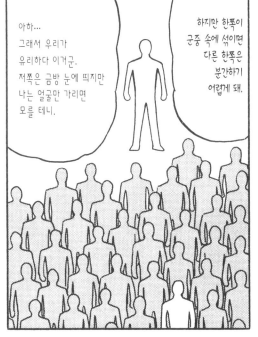

그래, 신이치는 무리 가운데 있어야 해. '살아있는 벽' 속에. A한테는 장애물이고 우리한테는 방패인 셈이지.

...닥치는 대로...

벤다고?!

너희들의 본성을... 잊고 있었군!

있는 벽...?

살아...

저거 왜 저래...?

엄마!

어? 어?

아야!

네 목숨을 지키기 위해서야.

당연하지! 대체 몇명을 죽이려고!

신이치, 내 작전이 마음에 안 들어?

헉헉…

……

어서 무리 속으로 돌아가, 신이치!

내가 살려면 다른 목숨이 희생돼야 한다. 동물이란 그런 거야.

나도 A를 '인간의 벽'과 함께 찌를 생각이야. 그쪽이 확실하니까.

어? 신이치!

?

너… 정말 언변도 좋구나….

왜지…? 그렇게 인간의 말을 잘 알면서…

못 들었니?
이상한 사람이 침입했대….
아주 위험한 사람인가 봐.

여기서 뭐해?

사토미….

뭘 잊고 왔니?
같이 가자.

같이 대피하자!

됐어,
난 할 일이
있어서….

뭐…?

오지 마!
나한테서
떨어져!!

......

......

아니, 저…
감기
걸렸거든.
옮길까봐…

콜콜
콜록
콜록

난들 죽고 싶어
이러는 건
아냐.

생각났어.
인간은
자살이란 걸 하는
별난 동물이지?

어?
신이치가
없네….

흉악범인가?

경찰까지
불렀어?

살아 있는
벽보단 나아.

이게…

뭘 하는 거야,
신이치?

글쎄….
정말
뭘 하는지….

화났어?
오른쪽아….

화나?
그럴 틈이 없어.
다음 작전을
생각해야지.

?
무슨 소리야?

둘?
A가 우리를
둘로 볼까?

차이…?
흠.
그놈은 살인귀고
나는 선량한
고등학생이지.

그리고…
그놈은 얼굴을
바꿀 수 있지만
나는 안 돼.
그놈은 혼자고
우리는 둘….

신이치…,
우리와 A의
차이가 뭔지
알아?

뭐…?

자, 신이치의 무기다.

힘 한 번 세네…

네가 싸움에 참가해야 돼!

정면으로 부딪히면 나와 A는 막상막야. 그렇다면 답은 하나!

나… 나의?

그래.

③

역할분담을
하자는 거야.

효과적으로
움직이라니…?

반대로 네가
효과적으로
움직이면 이겨!

네가 동요해서
우물쭈물 거리면
우리는 진다.

아야,
엉덩이
찔렸다.

한번 해 보자구.
그 무기를
안 보이는 곳에 숨겨.

말처럼 잘 될지…
걱정되네.

왔군.
그놈은
망설임이 없어.

A까지와의 거리는
약 3미터!

3미터…?

지금은 이놈을
믿어야지…

분명 오른쪽이는
싸움만으로 보면
전문가다….
지금까지 「동족」을
둘이나 해치웠으니.

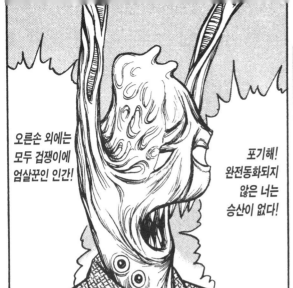

오른손 외에는
모두 겁쟁이에
엄살꾼인 인간!

포기해!
완전동화되지
않은 너는
승산이 없다!

으아아!
괴물이다!
가까이서 보니
진짜 괴물이야!

질 수 없지!

그래!
저놈은 니를 동요시켜
싸움을 유리하게
이끌려는 거야.

사악

너무 빨라서
안 보여!

이런 싸움에…
끼어들라고!?

정말 A는
오른쪽이와의
초고속 칼싸움에 열중해
나를 경계하지
않는 듯했다.

나를 「오른쪽이의
부속품」정도로만 보는지
「별도행동」을
취하리라고는
생각못한 듯했다…

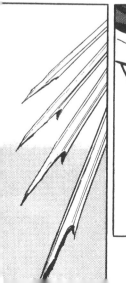

그래도…
할 수밖에 없지!
제기랄!

싫다….
그래도
목 아래는
사람인데.

그것은—
믿을 수 없을 만큼
쉽게 이루어졌다.
A는 어리둥절해 있었다.

…그리고
왼손을 통해
아주 불쾌한 감각이
전해져 왔다…

제7화 ―끝―

아야야…

됐어! 저 정도 출혈이면 치명상이다!

힘없고 겁많은 인간 부분이 공격할 줄은…

설마….

기다려. 어떻게 나올지 두고보자.

우아….

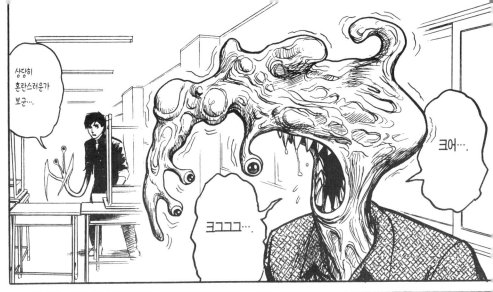

그래...
꿰뚫어 버리면
수도꼭지는
없어지지.

우악!

으...

좋아,
쫓아가서
끝장을 내자.

나더러 사람을
죽이란 말야?

저건 사람이
아니야.

이제
됐잖아!

싫어!

하지만...
그냥 두면 위험해.

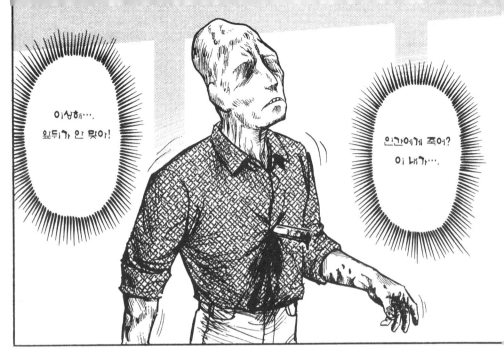

이상해….
앞뒤가 안 맞아!

인간에게 죽어?
이 내가….

「타미야 료코」의
몸에서
두거
해야지.
어디
있을까…?

잘 될지 어떨지
몰라도….

이동하자!

안돼….
이 육체는 더
못 쓰겠어….

…….

…….

왜애앵 왜애앵

정말 경찰이 왔네?

회—.
회—.

앞으로
20미터.

할 수 없지.
우선 이 자리를
벗어나자.

?!

저 방인가….

헉 헉 헉

학교에 살인귀 난입 교사 1명 사
학생들 전원 무사

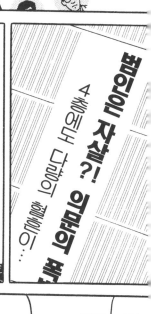

범인은 자살?!
4층에도 다량의 혈흔이…
의문의 폭

……

…또한 폭발이 일어난
실험실 부근에서
범인의 것으로 보이는
시신이 발견되었으나,
상반신이 심하게 손상되어
신원 확인에는
상당한 시간이
걸릴 듯 합니다.

흠….
아무튼 무사해서
다행이군….

그게….
계속 누워만
있네요….

신이치는

......
......

그로부터 한달….
학교는 겨우
정상을 되찾았다.

다녀올게요.

「A」를 처리한 듯한
「타미야 료코」는
여전히 태연한 얼굴로
학교에 나온다.

주간
고교난입
살인귀「A」아직도
정체는 밍궁

「A」는 끝내
「A」일 뿐인가….

......

이대로
놔둘 수는 없다.

하지만…
사람을
죽이고는
있을 것이다!

그녀 주위에서
살인이 일어난다
얘기는
못 들었다…

응?
으응….

괜찮니?

정말 풀이
팍 죽었네….

응….

앗, UFO다!

이제 감기도
다 나았지?

응….

응….

신이치는
바보오—!

……

「타미야 료코」를 죽이자!

......,
......,

내가 너무 겁내고 있었어…. 역시 그놈을 놔둬선 안 돼.

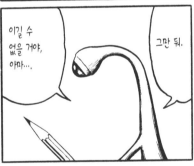

이길 수 없을 거야, 아마….

그만 둬.

내 전법을 알지? 대개 눈속임이나 허찌르기라구..

그놈은 A처럼 단순하지 않아. 속임수가 안 통할 거야.

왜?

아!

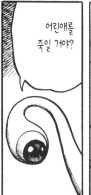

어린애를 죽일 거야?

게다가...

너두 쫄았니? 오른쪽아.

신이치, 너도 생각하는 게 과격해졌군.

너한테까지 그런 말 듣고 살아야 되냐.

....
....

그놈의 몸속에 있는 건 진짜 인간이야. 난 상관없지만 넌 그럴 수 있겠어?

―그러나.

그래서 말입니다. 타미야 선생...

아이 아버지가 누구인지 밝힐 수도 없다는 게 말이 됩니까?

교육자가! 그것도 미혼인 몸으로!

선생이 그… 임신하셨다는 것 자체는 축하할 일입니다만… 그러나….

이건 큰 문제입니다!

남자의 이름을 밝힐 수 없다는 게 아니라 모른다니… 그렇다면 설마….

학생들의 모범이 되지는 못할 망정!

!

타미야 료코는 그만둬야겠다.

이런 식으로 주위의 눈길을 끌면 안되지.

뿔떡

설마 이런 식으로 끝날 줄이야.

뜻밖이군….

자, 잠깐만
타미야 선생!

뭣보다
이대로는
선생이…

대체 그게
무슨 말입니까?!

즉, 어떻게 된
일이냐 하면…

저는…
타미야 료코를
그만뒀습니다.

……
……

……

「타미야 료코」는
없어졌다.

이것으로 주위사람…
즉, 너희들을
살려둘 이유는
없어진 셈이지.

즉, 보통 인간의
음식물로!

내 오른손은!
내 피로
살아가고 있어!

왜… 왜 사람을
죽이는 거지…?

아마…
가능하겠지.

……

그럼 너희들도 굳이
인간을 잡아먹지 않고
살아갈 수 있는 것
아냐?!

누가
가르쳐 주지 않아도
나는 법을 안다.

파리는…

……?

그… 그럼!

거미는
가르쳐 주지
않아도
집 짓는 법을 안다.
…왜일까?

내 생각에는….
파리도 거미도
그저 「명령」에
따르고
있는 거다.

지구상의 생물은
모두 어떤
「명령」을 받고
움직이는 것 같다….

뭐, 뭐야?
뜬금없이
….

…….

인간에게는
「명령」이
내려지지
않았나?

너
알겠나?

…….

대체 무슨
소리야?

하나의 「명령」이
내려왔다….

내가
인간의 뇌를
장악했을 때.

그러니까
뭐냐구….
신을 말하는
건가?

"이 「종」을 잡아먹어라" 라고!

…!!

네 그…
뱃속의 애는
어쩔 거지?

하… 하나만
가르쳐 줘….

ㅇㅇㅇ.

쿡!

진정해, 신이치.
이 거리에서는
위험해!

실험에
쓸 수 있을
테니.

낳아
봐야지.

필요없다면
먹어버리고.

성가신
녀석이군….

죽어라.

제길….

역시 두 패턴
이상이다.
힘들겠어!

!

기기기

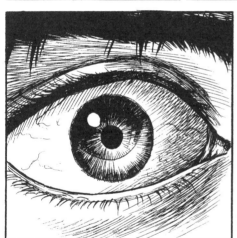

?!

조금이지만
섞여 있군…

너….

역시 죽이는 건
그만두지.

재미있어…

……

어… 어이!

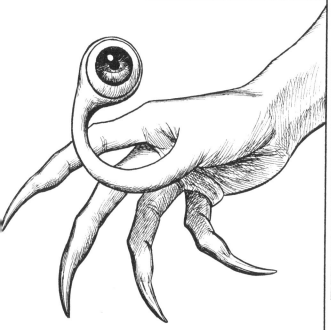

섞여 있다고…?

제8화 —끝—

독자의 질문에 작가가 대답했다

「소설이나 영화보다 더 큰 감동을 받았다.
평범한 SF 호러가 아니라 인간의 강함과 악함마저 생각해 보게 한다.」
(효고 현·이케다 노부오 33세 회사원)

「〈기생수〉는 꼭 영화화되었으면 한다.
데이빗 크로넨버그 (「더 플라이」의 감독)가 맡으면 재밌을 것 같다.」
(도쿄·유지 20세 학생)

「만화도 영화도 각자 독자적인 생명력과 유연성을 갖고 있으므로, 재미없는 원작이라도 영상화하면
빛이 나는 경우가 있고, 또 그 반대의 경우도 있습니다. 내가 재미있다고 생각한 영화는 대개
처음부터 끝까지 마치 하나의 생물처럼 일관성이 있습니다. 만드는 사람이 원작을 완전히
자기 피와 살로 흡수한 후 확신을 가지고 표현하기 때문일 겁니다.
정열 없이 원작에만 의지하는 것은 졸작의 원인입니다.」
　(이와아키 히토시)

애프터눈 '91년 9월호에서

「〈기생수〉를 읽고 있자면 인간의 오만한 자세(자연에 대한),
혹은 인간이 인간을 자연이 아닌 존재로 여긴다는 생각이 듭니다…
이와아키 씨는 〈인공〉과 〈자연〉을 어떻게 생각하시는지요?」
(오사카·외눈박이 꼬마 20세 학생)

「〈자연〉이란 말은 여러가지 해석이 가능하다고 생각합니다.
좁은 의미의 〈자연〉이라면 〈인공〉의 반대말이 틀림없겠지요.
인간이 지키려 하는 〈자연〉이란 이 〈좁은 의미의 자연〉입니다.
자연을 넓은 의미로 생각하면 물론 인간은 자연의 일부입니다. 인간이라는 생물이 오만해지는 것도,
지구를 파괴하고 더럽히는 것도, 모두 대자연의 섭리인 셈이지요.
인간은 인간을 기준으로 자연을 지키게 마련이며, 또한 그럴 수밖에 없다고 생각합니다.」
　(이와아키 히토시)

애프터눈 '91년 12월호에서

—제9화— 어머니

타미야 료코의
모친인가…

대체 어떻게 된 거니?
학교에서 집으로
전화가 와서
놀라 달려온 거야!

료코!

료코…!

그 얘긴
나중에 하실래요?

미안하지만 엄마…
난 지금
나가봐야 해요

기다려!

요 앞이니까
금방 올게요….

이쪽을 봐!

……;
……?

!

당신은
대체 누구지?

다… 당신….

......

어딨어?!
우리 료코를
어떻게
했냐고?!

료코…
우리 료코는
어딨지?

이… 이럴 수가!
…설마.

어쩌면 좋아!
…겨, 경찰을!!

어떻게 알아챘을까…. 그것도 이런 단시간에….

아무튼 빨리 이 「신분」을 버려야겠다.

그리고… 만약을 위해 이 시체도 처리하고 가야지.

얼굴도 목소리도 타미야 료코와 거의 다름없을 텐데….

모르겠군. 이 중년 여성에게 특별한 능력이 있는 것 같지도 않은데….

이 무렵,
세계 각지에서 빈발하던
「인간 도살」 사건이
급격히 감소하고
있었다.

이 사실은 사람들에게
다소나마 안도감을 주었으나,
한편으로는 눈에
띄지 않는 수치가
늘어가고 있었다―.
바로 실종,
행방불명자의 수였다.

기생생물들은
먹다남은 시체를
남기는 것보다는
교묘히 그것을 숨겨
실종된 것처럼 꾸미는 쪽이
훨씬 조용하고 안전하다는 것을
학습한 셈이다.

결국 이렇게
된 것이다.
사망자는 전혀
줄어들지 않았다.

때로는
「동족」과
협력하며…

특히 혼자
행동하는
인간을 노린다.

오른…

후아~.
아침인가….

우아아아아아아아!!

쪽…?

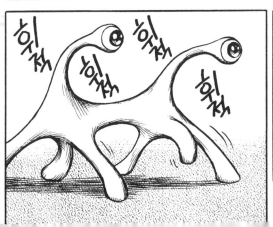

아~.
아~!

왜 그러니?
고함을
지르고.

놀라게 하지 마,
신이치.

노…

......

히야~.
끔찍한
꿈이었어~!!

아!
그게…
꾸, 꿈 꿨어!

산책이 아니야.
이동 실험이지.

아침 산책이라도
하셨습니까,
오른쪽이 선생?

나 참~!!

뭐하는 짓이야,
이게!!

음….
기껏해야 3분이군.
분리돼 있을 수
있는 건….

하하—
마침내 내 머리를
차지할 준비가 다 되셨다?

이동….

으아~.
농담이야!

그래도
혹시 모르니
해 볼까?

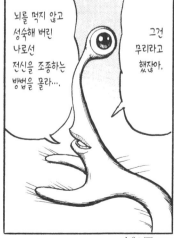

뇌를 먹지 않고
성숙해 버린
나로선
전신을 조종하는
방법을 몰라….

그건
무리라고
했잖아.

무엇보다 머리를 바꿔치기하는 건 위험도가 너무 커서 일부러 하는 놈은 없을 거야.

이론상으론.... 하지만 거부반응도 있을 테고.

...그렇다면 뇌를 먹은 놈들은 머리에서 머리로 이동할 수 있나?

......
......

정말— 당신하고 여행이라니 오랜만이에요.

어머니 노부코(40) 주부.

그렇게 됐다. 며칠간 집 잘 봐라.

아버지 카즈유키(44) 전직 잡지기자. 현재 자유기고가.

여행?

이즈미 신이치(16) 고등학교 2학년.

요즘같이
뒤숭숭한 때….

여행이라니…
하지만….

항상 일만 하느라…
신혼여행도
제대로 못 갔죠?

이제 겨우
짬이 생겨서….

게다가 이런 때
낯선 지방을 다니면….

표면상으로야
그렇죠!

그건 거의
대도시에서
일어났고
수도 줄었으니
…걱정할 것 없다.

인간
도살 사건
말이냐?

그게 아니라
그놈들이…!

그, 그런 게 아냐!
아니라구요!

빌
떡

반대하는
거니?

네.

설마 너,
고2나 돼 가지고
혼자 집보기
무서워서 그러는건
아니냐…?

아… 아니…

그놈들이라니?

너 혹시 무슨 큰 고민 있는 거 아니니?

사실… 얼마 전부터 걱정이 됐는데.

신이치… 네가 정 반대라면 이 여행은 포기해도 좋아…

어이, 여보!

없어, 없어. 그런 거 없어요. 갔다 올게요.

친구 때문이니? 아니면…

고민 같은 거 없어요.

벌떡

요 1년새… 많이 변한 것 같아. …그래, 어떻게 말하면 좋을지…

…….

됐어!
나도 알아.

신이치...
혹시나 싶어
하는 말인데...,

후....

이놈에게 애정이라는
개념은 없다.
오른쪽이 역시
「A」나 「타미야 료코」와
본질적으로는
같은 것이다.

그러나
가족들은 다르다!
불안요소로 인정되면
즉시 제거하려
들 것이다.

내가 오른손에 대한 것을
가족에게 알리면 오른쪽이는
무슨 짓을 할지 모른다...
이놈이 내 목숨을 지키려는 것은
단지 자신의 밥줄이기
때문이다...

부모한테 숨기는 게
서너 개쯤 있어도
이상할 것 없어.

당연하지.
벌써 고 2인걸.

숨기고 있어....
쟤 분명 뭔가
숨기는 게 있어!

어쩌면 그…
손목의 흉터
때문일지도….

특히
당신 말이라면
껌벅 죽었고.

그랬던가요?

사실 지금까지
너무 착하게만 굴지 않았나?
중학교 때도…
보통 애들이면
한창 반항기였을 때도
별 일 없었잖아?

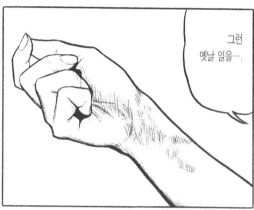

그런
옛날 일을….

네에?
설마….

뭐?
그리 걱정할
정도는
아니라고?

다녀
왔습니다.

뭐야,
그럼 굳이
반대할 것도
없었잖아…

딸
칵

?

그런가…

그리고…
표적이 되는 것은
주로 단독으로 행동하는
인간이다.
둘이서 여행하는 건
오히려 안전하다고
볼 수 있지 않을까?

확률적으로 봐,
내 「동족」은 일단
대도시에 많다.
네 부모는 도시를
떠나려 하고 있어.

왜, 왜,
왜요?!

신이치.

우악!!

그보다
무슨 일이에요?

호, 호,
혼잣말이야!

지금… 누구랑
얘기하지
않았니…?

왜?

그리고 엄마!

저녁 준
다 됐다고

알았어요.
금방 내려갈게.

……

미안하구나.

알았다….

이것만은
꼭 지켜 줘!

다음부E
내 ⊑
문 열기 전0
꼭 노크하세요

심장이?
그럼 나도
곤란해지는데.

하아.
심장이 멎는 줄
알았네.

파
앙

플레이
보이라도
봅디까?

신이치가 함부로
문 열지 말래요.

……

역시 가끔은
혼잡한 곳을 떠나
두 분이서
맑은 공기라도
마시는 게 좋겠어요.

저기요—.
아침에는 여행 가는 거
반대했는데
그거 취소할게요.

모르겠어.

그러니까
이번 달….

그런데,
언제부터
언제까지예요?

너 대체
어떻게
된 거니?

네…?

엄만 너를
통 알 수가
없어!

…….

아침에는 그렇게 반대하더니! 도대체 왜 그랬는데?

그러더니 이젠 또 손바닥 뒤집듯 취소하고! 엄마 아빠가 어떻게 되든 이젠 알바 아니란 거니?!

왜 그래요? 갑자기…

그… 그런게 아니라…

마치 내 자식이 아닌 것만 같아…

마치…

뭔가… 뭔가가 이상해!

모르겠어! 너를 통 이해할 수가 없어!

여보!

263 · 기생수 1

......
......

제발 말 좀 해 줘….
뭐가 어떻게 된 거지…?

신이치….

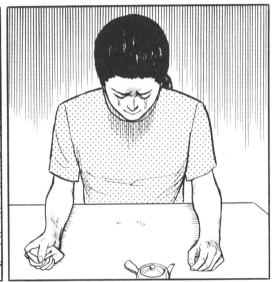

......

...쓸쓸...

아침엔 그렇게
생각했는데….

며칠씩
혼자 보낼 게
쓸쓸해서….

쓸쓸해서…

그래서 이젠
아무렇지 않아….
쓸쓸하면 친구라도
부르면 되고….

그런데
친구들한테
말했더니
다들 비웃어서…
맘을 바꿨어요.

정말...
그게 다예요...

......

이제...
됐죠...?

시내 아파트에 살 때는 꿈도 못 꾸던 일인데.

혹시 이런 것 처음 아녜요? 며칠씩이나….

택시회사에서 금방 차 보낸대요.

생각해 보면 이 화상자국도 그때….

그래…. 그 시절엔 나도 정신이 없었으니.

……

엄마—! 은접시 좀 꺼내 줘!

후후….

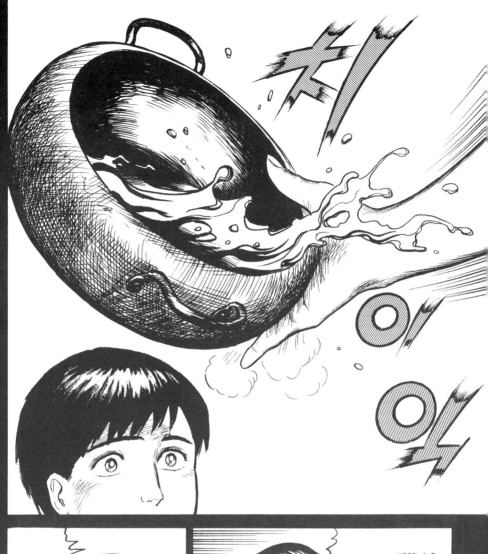

괜찮니?
신이치!!
기름 튀지
않았어?!

가스 조심하고 문단속 잘 하렴.

네.

그럼 집 잘 봐라.

네.

네…

우리 걱정은 마라.

갔다올게.

제2권에 계속

HITOSHI IWAAKI

① 寄生獣

寄生獣

1

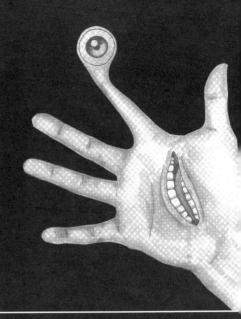

스페셜-001

2003년 5월 25일 초판발행
2024년 2월 29일 33쇄발행

저 자: Hitoshi Iwaaki
번 역: 서현아
발 행 인: 정동훈
편 집 인: 여영아
편집책임: 이진경
편집담당: 백유진
밤 행 처: (주)학산문화사

서울특별시 동작구 상도로 282 학산빌딩
편집부: 828-8973 FAX: 816-6471
영업부: 828-8986
1995년 7월 1일 등록 제3-632호
http://www.haksanpub.co.kr

개정판 ISBN 979-11-348-1790-9 07650
       ISBN 979-11-348-1789-3(세트)

값 9,000원